做内心强大的自己——自信力培养系列

不开心的黑绵羊

如何面对自卑

恐龙小Q儿童教育中心 编

五洲传播出版社

黑绵羊可可豆每天都不开心。

"我们都很开心，为什么你不开心呢？"棉花糖问。

"因为我和你们不一样啊！我是黑色的，而你们，都是白色的。"

"那有什么关系？我觉得黑羊毛也很美。"

但可可豆还是觉得不开心。

吃草时，草原上的白绵羊就像天空中飘浮的白云。

"只有我是黑色的，这多么奇怪啊！"可可豆想。

4

睡觉时，白绵羊们聚集在一起取暖。
"只有我是黑色的，这多么奇怪啊！"可可豆想。

他在面粉堆里打了几个滚。
阿嚏！阿嚏！
所有的白绵羊都奇怪地看着他。
"哦……算了吧，看起来不怎么好。"

6

他用白绵羊的毛织了一件毛衣。

所有的白绵羊都奇怪地看着他。

"哦……算了吧，看起来还是很奇怪。"

可可豆太想改变了，他甚至想，老了以后，是不是黑色的毛就会变白？

不过——那要很久很久以后了，可可豆不想等那么久。

可可豆更不开心了。

他不想参加聚餐，也不想和大家一起游戏。

他悄悄离开了羊群。

“谁在那里？你堵住我的洞口了！”突然，一个声音从可可豆身下传来。

可可豆吓得跳了起来，一只野兔从草丛下的洞里钻出来。

"哇！你是黑色的！"可可豆惊叫道。

"是啊，有什么奇怪的？"

"我以为只有我是黑色的，这个颜色真难看。"

"不啊，我很喜欢黑色。"野兔说，"你的黑羊毛也很好看。"

"可是，别的绵羊都是白色的。"

"那有什么？你还是一只绵羊，你的朋友们还是一样爱你啊！"

可可豆想了想，说："是的，我想他们是爱我的。"

"小黑，你在跟谁说话？"

几只野兔从洞里钻出来，好奇地看着可可豆。

"哇！你就是那只黑绵羊！"一只野兔说，"你的黑羊毛真漂亮。"

"你不觉得我很奇怪吗？"

"怎么会。羊群里只有你是黑色的，你是那么特别，我们早就注意到你了。"

"你说我是特别的？"可可豆高兴起来。

"对，你看我们，每一个颜色都不一样，可是我们是一家人，我爱他们，他们也爱我。"小黑说。

　　"黑色还有一个好处，你看！"小黑指着远处说，"你不见了，马上就会被发现——你的朋友们正在找你呢！"
　　果然，白绵羊们四处散开，正在焦急地寻找可可豆。

"我在这里！"可可豆大声叫着。他飞快地跑向羊群，就像一道闪电。

"你跑到哪儿去了？我们都很担心！"棉花糖说。
"我不会迷路的，这里是我的家，你们是我最爱的家人！"

图书在版编目(CIP)数据

不开心的黑绵羊：如何面对自卑／恐龙小Q儿童教育中心编. －－北京：五洲传播出版社,2016.6
(做内心强大的自己.自信力培养系列)
ISBN 978-7-5085-3421-3

Ⅰ．①不… Ⅱ．①恐… Ⅲ．①自信心－能力培养－学前教育－教学参考资料 Ⅳ．①G613

中国版本图书馆CIP数据核字(2016)第143030号

不开心的黑绵羊

责任编辑　张　红
出版发行　五洲传播出版社
地　　址　北京市海淀区北三环中路31号生产力大楼B座6层
邮政编码　100088
电　　话　010-82005927　82007837（发行部）
网　　址　http://www.cicc.org.cn
印　　刷　小森印刷（北京）有限公司
开　　本　889mm×1194mm　1/20
印　　张　8
字　　数　10千
版　　次　2016年6月第1版
印　　次　2016年6月第1次印刷
定　　价　88.00元（全8册）